SCHWEIZ

von David Gibbon und Ted Smart
Deutscher Text von Nelly Frey
Englische Bildunterschriften auf Seite 64
English captions on page 64

DELPHIN

© Colour Library International Ltd., 1978.
© Deutsche Ausgabe: Delphin Verlag GmbH, München und Zürich, 1979.
Alle Rechte vorbehalten.
Printed in Spain.
ISBN 3.7735.4213.5

Einführung

Die Schweiz ist eines der kleinsten Länder Europas, aber eines der bedeutendsten Reiseländer. Durch die Lage in den mittleren Alpen und die grosszügig ausgebauten Verkehrswege ist sie die wichtigste Durchgangsstation von Nord nach Süd; ausserdem wurde sie ihrer grossartigen Naturschönheiten wegen schon früh zu *dem* klassischen Touristenland. Für Bergsteiger und Skifahrer sind z. B. das Berner Oberland, das Engadin oder die Walliser Alpen wahre Paradiese. In den weltberühmten Schweizer Kurorten wie Pontresina, Gstaad oder St. Moritz trifft sich keineswegs nur die internationale Prominenz, sondern hier erholen sich – genauso wie in der Höhenluft von Arosa oder Davos oder im milden Klima des Genfer Sees oder Tessins – Menschen aus aller Welt.

Das Gebiet der Schweiz ist in drei Landschaftsformen gegliedert: Rund 60 % der Fläche nimmt im Süden das Alpenmassiv mit seinen schneebedeckten Gipfeln, Gletschern, Firnfeldern, engen Schluchten und tiefen Tälern ein. Im Nordwesten bildet der Mittelgebirgszug des Juras die Landesgrenze. Dazwischen liegt das seenreiche, hügelige Mittelland. Dieser Landstrich zwischen Genfer See und Bodensee ist der fruchtbarste Landesteil und das ökonomische Herz der Schweiz. Das Klima erlaubt neben der Viehwirtschaft auch Getreide-, Obst- und Weinanbau; Handel, Gewerbe und Industrie sind zur Hauptsache hier, wo auch etwa 75 % der Bevölkerung wohnen, angesiedelt.

Das ehemalige Agrarland Schweiz hat sich in den letzten hundert Jahren – trotz seiner räumlichen Begrenztheit – zu einer der bedeutendsten Finanz- und Industriemächten der Welt entwickelt. Bedingt durch die Binnenlage mit langen Transportwegen und durch die Rohstoffarmut liegt der Schwerpunkt der industriellen und gewerblichen Produktion nicht auf Massen-, sondern auf Qualitätserzeugnissen, die möglichst wenig Rohstoffe, dafür aber spezialisierte Arbeit und technisches Wissen erfordern, z. B. hochwertige Maschinen, Apparate und Präzisionsinstrumente, Uhren und Schmuck. Daneben sind die Textil- und Bekleidungsindustrie, die chemische Industrie, der Fremdenverkehr und die Elektrizitätserzeugung wichtige Wirtschaftsfaktoren. Nicht zuletzt sei das hochentwickelte Banken-, Börsen- und Versicherungswesen genannt, für das die Schweiz legendären Ruhm geniesst.

Aus den geographischen Gegebenheiten einerseits und dem Zusammentreffen dreier grosser Kulturkreise andererseits resultieren auch die Vielfalt und Verschiedenheit im kulturellen und politischen Bereich, die starke Betonung individueller Freiheit, der ausgeprägte Föderalismus und das Neutralitätsdenken. Obwohl sie vier verschiedene Sprachen sprechen und trotz ehemals scharfer konfessioneller Grenzen, leben die Schweizer seit Jahrhunderten in einem ausgezeichnet funktionierenden Staatswesen zusammen.

Im grössten Teil der Schweiz wird Schweizerdeutsch gesprochen, eine alemannische Mundart, die der Sprache im Elsass und in Südwestdeutschland verwandt ist. Die Westschweiz ist französisches Sprachgebiet, südlich des Gotthard, im Tessin, spricht man Italienisch und in den östlichen Alpentälern, in Graubünden, das Rätoromanische.

Infolge der sprachlichen und geographischen Gliederung entstanden in der bäuerlich-bürgerlichen Eidgenossenschaft viele geschlossene Kulturräume mit grossen folkloristischem Reichtum. Da das Land von den Verwüstungen zweier Weltkriege verschont blieb, sind trotz fortschreitender Besiedelung und Industrialisierung in den Städten und Dörfern die schönen historischen Bauten erhalten geblieben.

Die *Confoederatio Helvetica* – das ist der lateinische Name der Schweiz – kann man als eine Republik der Gemeinden und Kantone bezeichnen. Die 26 Kantone, 6 davon sogenannte Halbkantone, sind gleichberechtigte Mitglieder des Bundesstaates und weitgehend souverän. Sie haben eine eigene Verfassung und Gerichtsbarkeit, eigene Parlamente und Regierungen, sind jedoch der Bundesverfassung untergeordnet. Die Regierungsform ist die direkte Demokratie, d. h., bestimmte politische Entscheidungen – z. B. eine Verfassungsänderung – müssen dem Volk zur Abstimmung vorgelegt werden.

Aussenpolitisch hält die Schweiz seit rund 450 Jahren am Grundsatz der Nichtkriegsführung fest, und auf dem Wiener Kongress der europäischen Mächte wurde dem Pufferstaat 1815 die »immerwährende Neutralität« garantiert. In der Folge wurde diese Neutralität zu einem Begriff, den das Völkerrecht akzeptierte. Die Organisation vom Roten Kreuz – ihr Zeichen ist das farblich umgekehrte Schweizer Wappen – ist der bedeutendste humanitäre Beitrag der Schweiz zur modernen Zivilisation. Diese vom Genfer Henri Dunant gegründete Organisation kann als Beispiel dafür dienen, was ein kleines, neutrales Land, dessen Menschen in Frieden und Freiheit leben, für den Rest der Welt zu bedeuten vermag.

Der gezahnte Gipfel des Matterhorns spiegelt sich in den klaren Wassern des Riffelsees wider.

«Steckt den Rahmen eurer Eidgenossenschaft nicht allzu weit…» «Haltet euch fern von Streitigkeiten der anderen und verbündet euch nicht mit ausländischen Mächten…»

«Greift niemanden ohne triftigen Grund, aus Feindschaft und Gewaltsamkeit an. Will man euch aber unterjochen, so kämpft tapfer für eure Freiheit und euer Vaterland…»

Die katholischen Kantone blieben dieser sanften und vergeistigten Linie des Heiligen Nikolaus von der Flüe treu. Die Individualität und der kritische Geist der Schweizer sollte sich aber auch in einer tiefgreifenden religiösen Reformation Ausdruck verschaffen. «Die Zeit liegt nah», verkündete der junge Theologe Ulrich Zwingli, «da man die scholastische Theologie verwerfen wird und die alte Lehre der Kirche erneut ihren Einzug hält. Die Ehelosigkeit der Priester ist eine gegen die Bibel, gegen die Natur gerichtete Einrichtung, die Ablässe nichts als Scharlatanerie…» Während gewisse Bischöfe ihre Söldnertruppen zur Verteidigung weltlicher Interessen mit Gold aufwogen, predigte Zwingli leidenschaftlich für den Frieden und warf sein Anathema über all die Schweizer Soldaten aus, die sich ans Ausland verkauften. Die Stadt Zürich loderte den gewinnenden Worten des Reformators entgegen. Die Mönche von Einsiedeln, die einen recht fragwürdigen Ablasshandel trieben, konnten nicht umhin, den gerechten Zorn Zwinglis über sich ergehen zu lassen. Und doch fiel dieser weise Gegner aller Gewalt in einer Schlacht den Waffen der katholischen Truppen von Waldstätten zum Opfer. Einige Jahre später vollzog dann ein Franzose namens Jean Calvin seine strenge protestantische Reformation.

Wenn auch die Natur diese gesunde Lebenseinstellung hervorgerufen hat, so darf man doch nicht glauben, dass in diesen Hochtälern, die sich gleich den Händen des asketischen Märtyrers gen Himmel strecken, das Leben je einfach gewesen sei. Viele Schweizer wissen, was es heisst, von der Erde

Überall in der Schweiz hat die Geschichte ihre Spuren hinterlassen: die Brücken von Freiburg (links und oben rechts); die ehrwürdigen Türme von Murten (Mitte, rechts); oder das römische Amphitheater von Avenches (unten, rechts).

Nächste Seite: Der idyllische Lac de Joux im Jura.

leben zu müssen, wenn diese von härtesten Wetterbedingungen heimgesucht wird. Juf, in Graubünden, ist mit seinen 2126 Metern über Normalnull das höchstgelegene Dorf Europas. In La Brévine, wo der eisige Wind des Juras bläst, werden die tiefsten Temperaturen des Westens gemessen: bis auf minus 30 Grad fällt das Thermometer. André Gide, der seine Bronchien in dieser Kühlhausatmosphäre kurieren wollte, hat die Landschaft in seiner *Symphonie Pastorale* geschildert. Aber die Kälte des Juras regt den

Auch das blumenübersäte Ufer des Genfer Sees ist reich an legendenumwobenen, historischen Burgen (unten): der Turm von Marsens (oben, links); die Festung von Aigle, wenige Kilometer nur entfernt vom See gelegen, im Tal der Rhône (oben, rechts); und die von Lord Byron unsterblich gemachte Burg von Chillon (unten, rechts).

Genf (folgende Doppelseite) ist eine heitere und weltaufgeschlossene Stadt, die sich in den glasklaren Wassern des gleichnamigen Sees spiegelt.

Geist an. 1683 verlor sich in dieser Gegend, die damals noch von Bären bewohnt war, ein schottischer Reisender, auf der Suche nach einem Uhrmacher. Ein Schmied namens Jeanrichard konnte das Uhrwerk des Ausländers wieder in Gang bringen. Und so entstand dann die Schweizer Uhrenindustrie. Aber abgesehen davon brachte der Jura auch noch drei andere Genies der zeitgenössischen Kunst hervor: den Dichter Cendrars, den Architekten Le Corbusier und den Clown Grock.

Bevor jedoch die Welt künstlerisches Genie entsprechend zu würdigen wusste, mussten die Bewohner dieses unwirtschaftlichen Landstrichs zu den wagemutigsten Unternehmungen greifen, um hier überleben zu können. Ständig von Armut und Hunger bedroht, verschlug es die jungen Leute so in jenen Tagen in alle Herren Länder, wo sie sich Fürsten und Bischöfen als Söldner verdingen konnten, denn ihre Disziplin und ihre Wildheit war bekannt und gefragt. Ein betagter Reiseführer, der 1717 in Amsterdam erschien, glaubt sich dazu genötigt, seine Leser darauf hinzuweisen, dass die Schweizer beileibe keine «Schreckgespenster» sind, so entsetzlich war das Bild, das die Söldnertruppen in Europa hinterliessen. Aber auch in ihren Auseinandersetzungen mit den Österreichern waren die Landsleute Wilhelm Tells nicht sanfter. Nach den Schlachten bei Morgarten und Sempach, bei denen die Schweizer ihre Gegner vernichtend schlugen, nannte man sie «bestiales homines, maledicta gens».

Das Leben der Söldner war hart. Bisweilen, so wie dies zum Beispiel bei der Schlacht von Bailén der Fall war, standen sich schweizerische Kompanien im Dienste zweier gegnerischer Armeen feindlich gegenüber. In Bailén weigerten sie sich, in den Kampf zu ziehen. Aber zu vielen anderen Gelegenheiten wurden die treuen Schweizer Opfer ihrer Ehrlichkeit. So geschah es zum Beispiel am 10. August 1792, als die Aufständler die

In Clarens (links) lebte Rousseau. Seine einsamen Spaziergänge führten ihn oft zur Burg von Blonay in Vevey (unten, links). Ohne auch nur im mindesten seinen so poetischen Charakter einzubüssen, vereint der Züricher See an seinen Ufern die wichtigsten Schweizer Industriegebiete. Von oben nach unten: Blick auf die Stadt Zürich, Kathedrale und Altstadt von Zürich und Altstadt von Rapperswill.

Tuillerien nahmen. Die Schweizer versuchten, Ludwig XVI. zu verteidigen; der verängstigte König jedoch bestand auf die Einstellung des Feuers und verschaffte so den Revolutionären Gelegenheit, die entwaffneten, sich ergebenden Truppen bestialisch niederzumachen. Das Löwendenkmal, wohl eines der bekanntesten in Luzern, erinnert an dieses Ereignis. Die von Thorwaldsen geschaffene Plastik stellt einen verwundeten Löwen dar, der über den bourbonischen Lilien mit dem Tode ringt. Ein in Latein verfasster Gedenkspruch darunter lautet: «Glaube und Wahrheit der Schweizer».

Das Leben eines Söldners ist nie brillant und niemals einfach. Aber diese Männer hatten vor dem Hunger in ihren Heimatdörfern fliehen müssen. Viele Schweizer erinnern sich noch an die knappen Jahre des Zweiten Weltkrieges, als es galt, im Garten oder auf dem Balkon Kartoffeln anzubauen, um überleben zu können.

Oben, das kleine Dorf Gruyères, erbaut zu Füssen seiner Burg. Unten, die Zahnradbahn, die zum Montblanc hinauffährt.

Die Schweiz kann sich allein nur auf dem Gebiet der Wasserenergie versorgen. Doch ungeachtet dieser Tatsache zählt sie heute zu den Ländern mit dem höchsten Lebensniveau. Sie hat kein Uran, kein Eisenerz, sie verfügt über keine Rohstoffe für die moderne Industrie. Und doch birgt sie in ihrem Innern einen der grössten Schätze Europas: Millionen und Abermillionen Schweizer Franken, sicher verwahrt in den unterirdischen Panzerschränken der Banken. Jedes andere Land mit solcherart natürlichen Voraussetzungen wäre tief verschuldet und würde sich über ein allzu hartes Schicksal beklagen. Die Schweizer jedoch wussten das Beste daraus zu machen. Mit Scharfsinn und Erfindungsgeist haben sie es soweit gebracht, dass sie sich den Luxus leisten können, der Weltbank einen Kredit abzuschlagen – weil sie eine möglicherweise anstössige Anlage der Gelder seitens ausländischer Wirtschaftsexperten befürchten.

Jedermann weiss, dass die politische Stabilität und die Neutralitätspolitik des Landes das Geld aus aller Herren Länder anzieht. Um aber den Tatsachen gerecht zu werden, sollte man hinzufügen, dass die Investitionen, die die Schweiz weltweit tätigt, fraglos den Wert der Devisen übersteigen, die in goldener Ruhe in den Safes der eidgenössischen Banken schlafen.

Victor Hugo definierte die Schweizer und ihre Lebensauffassung auf eine vielleicht zunächst etwas zynisch wirkende Art und Weise: «Leute, die ihre Kuh melken und still und unbesorgt vor sich hinleben.» Um zu überleben und still und unbesorgt eine Kuh zu melken, bedarf es allerdings einer gewissen Lebensphilosophie. Sogar die berühmtesten Genies der Schweizer Wissenschaft, wie etwa Euler oder Bernouilli, wussten ihre mathematischen Kenntnisse in die Praxis umzusetzen. Ihre Rechnungen, die beileibe keine Milchmädchenrechnungen waren, schufen die theoretischen Voraussetzungen für jede Art von Versicherungen. Und des-

Die Schweizer Armee ist eine der bestausgerüsteten der Welt, und dies, obwohl sie einzig und allein zu Verteidigungszwecken unterhalten wird (oben).

Die Schweizer verstehen es, ihre einflussreichen Banken geschickt mit blumiger Farbenpracht zu verbinden. Markt im schönen Lausanne (unten).

halb sind heutzutage die mächtigsten Versicherungsgesellschaften auch in der Schweiz zu finden.

Um zu überleben, brauchten die Schweizer Stabilität, Diplomatie, Ehrlichkeit, ein gewisses Misstrauen dem Ausland gegenüber... aber vor allem viel Erfindungsgeist. Die Umstände und Gegebenheiten prägen den Charakter eines Volkes. Trotz des allgemeinen Wohlstands weiss man im ganzen Land den Wert eines Rappens zu schätzen. Aus Anlass einer geplanten Benzinpreiserhöhung um fünf Rappen wurde jüngst ein Referendum einberufen.

Gonzague de Reynold hat das Schweizer Naturell in groben Zügen wie folgt zusammengefasst: «Schweizer zu sein, wie ein Schweizer zu handeln, zu denken, das bedeutet einfach, in einer bestimmten Art anders zu leben als etwa ein Franzose, ein Engländer, ein Italiener oder ein Deutscher... Es bedeutet, als Soldat, freier Bürger, als Republikaner zur Welt zu kommen – oder sich dies zumindest vorzustellen... – es bedeutet, das Ausland zu hassen und zu fürchten, sogar, wenn man ihm, zwangsweise oder aus Tradition, zu Dienste steht; es bedeutet, ein Menschenfreund zu sein, ein Erzieher, ein Eigenbrödler, ein Individualist auf gemeinschaftlichem Terrain; sich daran zu gewöhnen, in der Einsamkeit zu denken nie jedoch individuell oder nur für sich allein zu handeln, sondern für die anderen und mit den anderen, in Vereinigungen jeglicher Art.»

Das Wort «Verein» wird in der Schweiz gross geschrieben. Irgend jemand sagte einmal, nicht ohne eine gehörige Prise Humor, dass die Schweiz mehr als eine Nation wohl eher als ein Klub zu bezeichnen sei, und in der Tat ist es schwierig, einen Schweizer zu finden, der nicht irgendeinem Verein angehört. Es gibt sie für jedermanns Geschmack. Es treffen sich die Freunde der Eisenbahn, die Trachtler, die Stammtischbrüder, die tugendsamen Damen der Frauenvereine. Sogar in der Politik tauchen, abseits der eigentlichen Parteien, aussergewöhnlich eigensinnige Vereinigungen auf, worunter

Diese Seite zeigt zwei Wallfahrtszentren: die Basilika zu Einsiedeln (oben und Mitte), und das Kloster von Sankt Gallen. Rechts: Das Rathaus der Kantonshauptstadt Schwyz. Fassadenmalereien von 1891 zeigen die Entstehungsgeschichte der Eidgenossenschaft und allegorische Figuren.

zum Beispiel die der Neinsager zu erwähnen wäre, die aus System alle Volksbefragungen mit «nein» beantworten. Und die, die sonst nichts anderes verbindet, die schliessen sich nach ihrem Geburtsjahr zusammen, Jahrgangsvereine also... Die 1891er, die 1920er, usw.

Viele Vereinigungen sind altruistischen Zwecken gewidmet, denn der Schweizer, gleich dem sich in Gefahr befindlichen Bergsteiger oder dem Bernhardiner, spürt instinktiv in sich ein Gefühl selbstloser und freundschaftlicher Solidarität. So entstand 1865 die Genfer Konvention, als Ausdruck eines zivilisierten Willens, dem Krieg Grenzen zu setzen. Die Verwundeten und Kranken sind, dieser Abmachung nach, als unantastbar anzusehen. Henri Dunant, der 1859 Zeuge des furchtbaren Blutbades von Solferino wurde, war der Anreger dieses humanistischen Gedankens und der Gründer des wohl selbstlosesten internationalen Unternehmens unserer Zeit: des Roten Kreuzes. Aber wenn man es bis zu einem gewissen Punkt vielleicht immer noch als normal ansehen kann, dass ein so philanthropisch gesinnter Mensch wie Dunant oder ein Heiliger wie Nikolaus von der Flüe für den Frieden streitet, so muss es sicher überraschen, dass gerade ein General es war, der die Philosophie des Humanismus auf den Bereich des Krieges anwendete. Der General Dufour, der während des Bürgerkriegs von 1847 gegen den Widerstand der katholischen Kantone zu kämpfen hatte, stellt auch heute noch für uns ein Musterbeispiel militärischer Ehre dar, die gerade in den kriegerischen Auseinandersetzungen der jüngsten Zeit so arg strapaziert wird. Den Völkern ist es bis heute noch nie gelungen, der Geisel des Krieges Herr zu werden. Ein Mann von Charakter aber kann nicht umhin, selbst inmitten der grössten Barbarei den Worten des Generals Dufour beizustimmen:

«Schlagt ihr eine gegnerische Formation so pflegt die Verwundeten so, wie ihr es mit unseren eigenen Leuten tun würdet...»

«Eurem Schutz stelle ich Kinder, Frauen und Diener der Religion anheim (dies die Worte des Oberbefehlshabers in einem Re-

Mit ihrem beeindruckenden Turm beherrsch die Burg von Munet (oben, links) die Stad Schaffhausen. Unten, Weinberge im Kanto Vaud. Rechts, der barocke Innenraum der Ba silika zu Einsiedeln.

ligionskrieg!). Wer immer die Hand hebt gegen einen Unschuldigen, der entehrt sich und beschmutzt seine Fahne...»

Sogar der schweizerische Erfindungsgeist ist von einem solchen altruistischen Gefühl der Zusammenarbeit getragen. Julio Maggi, der Erfinder der Brühwürfel und des Trokkengemüses, widmete sich mit solchem Eifer seiner Sache, dass er sich schliesslich dazu entschloss, seine Tochter folgerichtig auf den Namen Leguminosa zu taufen. Im Jahre 1810 verkaufte ein Konditorlehrling namens Philippe Suchard auf dem Markt von Neuchâtel ein neues Heilmittel, das er als «Gesundheitsschokolade» anpriess und mit dem er bei der Ärzteschaft alsbald ein grosses Echo hervorrief, nebenbei aber auch den Grundstein legte für einen inzwischen weltweit arbeitenden Industriezweig. Man erzählt sich, dass der junge Chemiker Henri Nestlé zunächst in der Milchwirtschaft arbeitete, wo er mit einem Nährmittelpräparat auf der Basis von Milch und Mehl ein von den Ärzten bereits aufgegebenes Kind retten konnte. Der Gründer der Supermarktkette Migros verbot in seinem Testament ausdrücklich, in seinen Geschäften Alkohol und Tabak zu verkaufen. Und der Industrielle William Barbey, der mit eigenen Mitteln eine Eisenbahnlinie zwischen Sainte Croix und Yverdon erbaute, bestand strengstens auf die Einhaltung der Sonntagsruhe. Bis nach seinem Tod blieb diese Strecke ein Verlustgeschäft, da sie nicht in den Vorzug der Einnahmen aus dem Wochenendverkehr kam, an denen sich andere Linien gesundstiessen.

Ein Spleen muss jedoch nicht immer mit einer gesunden Rechnungsführung über Kreuz sein. Eine kleine Stadt wie Zug zum Beispiel kann fünftausend amtlich gemeldete internationale Holdinggesellschaften aufweisen. Und noch im hintersten Winkel der Welt ist der Name einer Schweizer Firma

Beeindruckende Landschaften der Schweizer Bergwelt: Der Rhône-Gletscher (oben, links); die verschneiten Gipfel des Grimselpasses (oben, rechts). Die Ingenieure mussten alle verfügbaren Mittel der Technik zum Einsatz bringen, um eine Zahnradbahn bis hinauf nach Zermatt zu verlegen (unten, links). Das Schloss von Thun (Mitte, rechts), im Hintergrund die Alpengletscher. Unten und auf der folgenden Doppelseite, das Dorf Andermatt, ein berühmtes Urlaubs- und Wintersportzentrum.

auszumachen. Die Moskauer Prawda zum Beispiel wird auf Rotationsmaschinen der Berner Firma Fallert gedruckt. Die Gebäude der Vereinten Nationen sind mit Fahrstühlen der Firma Schindler ausgerüstet. Am «Apollo»-Projekt arbeiteten zwei kleine Werkstätten aus Herisau mit. Hausfrauen in Istambul tragen Kleider aus Baumwollstoffen der Firma Glaris und bringen abends eine Suppe von Maggi auf den Tisch. Einer der Gründer der Harvard-Universität war ein Schweizer namens Agassiz, der 1837 auf den glorreichen Gedanken kam, dass die Gletscher einst fast die gesamte Erdoberfläche bedeckt hatten. Die Rialto-Brücke in Venedig, das Symbol der Perle des Adriatischen Meeres, ist Werk des Schweizers Alberto da Ponte. Und der berühmteste unter den Architekten des barocken Roms, der grosse Borromini, wurde in Bissone, im Tessin, geboren. Andererseits ist jedoch zu sagen, dass die Schweizergarde, auch wenn sie ihren Ursprung in den historischen Söldnertruppen hat, von Michelangelo eingekleidet wurde.

Die Schweiz könnte das Herz der Welt sein. Es sind nicht nur die von ihrem Thron verjagten Könige, die Zuflucht an den Ufern der Schweizer Seen und Entspannung in den Chalets von Gstaad suchen. Denn manche meinen, die Schweiz sei nichts weiter, als ein grosses, wenngleich exklusives Altersheim oder ein extravagantes Sanatorium, wohin die Geschichte der Millionäre sich, über Rheuma klagend, resigniert ins Rentenalter zurückzieht. Die Reporter der schnöden Eitelkeit sind stets auf der Jagd nach diesen von der Regenbogenpresse und der Leinwand verhätschelten Berühmtheiten: Charlot lebte in Lausanne; gleich in seiner Nähe liess sich Orson Welles nieder, Yul Brinner und Georges Simenon; in Gstaad hat Elizabeth Taylor ein Haus; Truman Capote flüchtete sich nach Verbier... Und trotz allem beginnt in der Schweiz auch bisweilen die grosse Geschichte. Von einem Schweizer Bahnhof ab fuhr Lenin in das Abenteuer der Russischen Revolution. In einem Bierkeller von Zürich proklamierte Masarik die Unabhängigkeit der Tschechoslowakei, vor deren offiziellen Verkündung in Prag also.

Gersau am Vierwaldstätter See (links) hat eine einzigartige Geschichte: Der romantische Ausflugsort war mehr als 400 Jahre lang eine unabhängige Bauernrepublik. Oben, rechts, Zufahrt zum Tunnel des Grossen Sankt Bernhard, der die Schweiz mit Italien verbindet. Unten, ein Blick auf den Lago Maggiore.

Ein Leben nach innen

Schon im 18. Jahrhundert zollte Voltaire, ein erklärter Freund jeglicher utopischen geistigen Arbeit, der Schweiz seine Hochachtung: «Sie ist gegenwärtig eines der gebildetsten Länder Europas, wo sich die Naturwissenschaften grösster Verbreitung erfreuen und das Handwerk aufs beste gepflegt wird.»

Der Schweizer ist eminent praktisch veranlagt. Die Wissenschaft wird hier als ein auf die Notwendigkeit anzuwendendes Werkzeug verstanden. Ein Schweizer Wissenschaftler wird so stets seine Nachforschungen bis zur letzten Konsequenz vortreiben. Mit anderen Worten: bis hin zur Trockenmilch, zum DDT, zum Pyramidon.

Selbst die Städte haben immer einen praktischen Seinsgrund. Die einen liegen strategisch an Alpenpässen oder Wasserwegen: Martigny, Bienne, Genf... Andere, wie etwa Luzern, Zürich oder Basel, entwickelten sich im Schatten eines regen Handels, der wirtschaftlichen Expansion Europas. Bern stand dagegen etwas abseits und zeichnete sich durch ein stilles, fast ländliches Leben aus. Heute ist es vielleicht die einzige Hauptstadt der Welt, die über keinen eigenen Flughafen verfügt... Aber es ist ja bekannt: die ach so langsamen Berner sind nicht für das Zeitalter der Schallgeschwindigkeit geschaffen.

Es mag sein, dass der Reisende, geblendet von der ihn umgebenden Schönheit, die Städte der Schweiz durchquert, ohne sich deren unmerklich pochenden Schlagadern gewahr zu werden. Welcher Verliebte würde auch auf der Haut der Angebeteten die nichtssagenden Spuren schnöder Blutgefässe verfolgen wollen... Hinter dem Vierwaldstätter See aber, vor den Toren Luzerns, verbirgt sich eine nicht zu unterschätzende Schwerindustrie. Und Vevey ist nicht allein Sitz der Schokoladenfabrik Nestlé, sondern auch die Firma Bremor baut hier ihre Maschinen.

Es gibt Völker, die Italiener zum Beispiel, die auf der Strasse leben. Wenn immer sie dann, hängt die *mamma* ihre Wäsche vor

Im Ausfluss der Reuss aus dem Vierwaldstätter See liegt Luzern. Auf dem rechten Ufer befindet sich der älteste Stadtteil (links oben und rechts oben).

Die berühmte hölzerne Kapellbrücke von Luzern stammt noch aus dem Mittelalter.

dem Fenster auf und stellt so das Allerin
timste der Familie wie in einem Fotoalbu
den neugierigen Sonnenstrahlen und de
Blicken der Passanten zur Schau. So ist e
gut möglich, dass zwar niemand Beschei
weiss über die politischen Gedanken de
commendatore, die Farbe seiner Unterwä
sche jedoch wirft keine Frage auf.

Der Schweizer lebt demgegenüber nac
innen. Er fühlt sich gern «heimlig» in diese
Häusern, wo das Holz noch knarrt, wo e
nach gestärkter Wäsche riecht und nach za
parfümierter Seife, und wo sonntags biswe
len der würzige Geruch des Rinderbrate
die Räume durchzieht. Man halte sic
immer vor Augen, dass hier Amiel und Jur
geboren wurden, zwei Psychologen, die sic
in den Vorhof der menschlichen Intimit
verflüchteten.

«Von den uns umgebenden Bergen werden wir unerbittlich in unsere Schranken ge-
wiesen und zusammengedrängt», sagt Ra-
muz. Zwischen den Voralpen, der Bergkette
des Juras und den Alpen erstreckt sich das
Mittelland, mit seinen grünen Wiesen, die
von jenen Mauern aus Fels und Schnee
umzäunt werden. Wenn der Föhn weht, dann
schmilzt der Schnee und es erwacht das Leben auf den gefrorenen Wiesen.

Der Zauber der Bergwelt fände seine wis-
senschaftliche Formulierung, vielleicht auch
nur seinen humanistischen Ausdruck, in

*Mit seinen Torbögen und Arkaden ist Bern eine
Stadt, die sich ihren mittelalterlichen Charakter
bis heute bewahren konnte. Das Plätschern der
Brunnen bildet den poetisch-heiteren Hintergrund für das stille Leben dieser Stadt. Rechts,
unten, das Parlament. Links, der Turm der
Kathedrale, vom Aarufer aus gesehen.*

dem so umstrittenen Werk eines Paracelsus. Dieser wahrhaft einmalige Typ, der sich, als Schlächter gekleidet, mit einer Lederjacke angetan und einem Metzgerbeil in der Hand seinen Studenten an der Universität Basel präsentierte, erneuerte die Medizin des 16. Jahrhunderts von Grund auf. Er schrieb: «Durch äussere Zeichen und Übereinstimmungen werden wir uns all der in den Bergen verborgenen Dinge gewahr; so entdecken wir die wohltuenden Eigenschaften der Pflanzen und des Gesteins.»

Anfang des 18. Jahrhunderts wird in ganz Europa ein Schweizer Bauer namens Michael Schüppach berühmt, der «Bergdoktor»,

Nicht allein unerreichbare Höhen (rechts, der Mönch), sondern auch malerische Alpendörfer (oben, Mürren; unten, Wengen) bilden zusammen diese Schweizer Pastorale.

wie man ihn nannte. Goethe, Karl August
von Weimar und der Kardinal Rohan suchten in seiner Praxis in Bern um Rat. Schüppach heilte die Besessenen, indem er si[e]
einer Art elektrischen Schocks aussetzt[e].
Das Rührendste an seiner ganzen medizini-
schen Wissenschaft sind jedoch die Name[n],
die er seinen Heilkräutern gibt: «Propheten-
beeren», «Freudenöl», «Himmelstau». D[a]
ist es nicht verwunderlich, dass sich d[er]
Dichter des «Werther» einer Kur mit «Freu[d-]
enöl» unterzieht!

Die Berge mit ihrer geographischen un[d]
klimatischen Unvermitteltheit stellen eine[n]
unvergleichlichen Lebensansporn dar: s[ie]
prägen in tausenderlei Formen die Lan[d-]
schaft und das Leben der Schweiz. Und di[e]

se Vielfältigkeit drückt sich natürlich auch in den typischen Bauweisen der verschiedenen Gegenden aus: so finden wir im Engadin das weiss gekalkte Steinhaus, im Oberland das Holzhaus, das von Weinreben umrankte, von südlicher Sonne beschienene Landhaus der Gegend von Lugano. Ein typisch Berner Holzhaus schliesst eine ganze Lebensphilosophie in sich ein. Seine gleich dem barokken Ornat eines Damenrockes vielfach verzierte Fassade ergeht sich in Inschriften alt-

Die tiefverschneiten Hänge von Sankt Moritz und Gstaad sind ein weisses Urlaubsparadies. Auf der folgenden Doppelseite, Winterstimmung im tief verschneiten Engadin.

väterlicher Weisheit: «Frieden im Herzen, Glück im Haus.» An einem Haus in Freiburg ist die folgende leidenschaftlich humanistische Konfession zu lesen, die wahrlich einem Castiglione oder einem Cervantes alle Ehre machen würde: «Mit Waffen magst du Ruhm erwerben; ohne die Feder jedoch vergeht der Ruhm wie Rauch. Von den grossen Königen zeugt die Geschichte; es spricht also die Feder, wenn der Stahl schweigt.»

Das Haus ist stets das Reich der Frau, das mit den drei K's (Kinder, Küche, Kirche) seinen besten Ausdruck findet. Die Bäuerin auf dem Lande lebt natürlich noch viel mehr im Einklang mit den alten Traditionen als die Frau in der Stadt; das Bäuerliche aber hat in der Schweiz immer irgendwie Zutritt zur Wohnung, sei es nun über einen kleinen Garten oder sei es nur über ein grünendes, blühendes Fensterbrett.

Dieser Bund, diese Eintracht – mögen die Philosophen so etwas auch als reaktionär abtun – zwischen dem Frühling und der Frau ergibt ein heiteres und doch gesetztes, ordentliches Zuhause und eine handfeste, den Gaumen bisweilen doch recht verwöhnende Gastronomie. Im Aartal liegt ein kleines Dorf mit dem Namen Meiringen, das, wie es scheint, die Heimat der *meringues* oder Meringel ist. In der Schweiz wird dieses Schaumgebäck langsam im Rohr gebacken, bis das zu Schnee geschlagene Eiweiss einen leicht bräunlichen Überzug von fast felsenhaftem Aussehen annimmt. Dazu serviert man dann gewöhnlich Schlagsahne oder Eis; am 1. August aber, zur Feier des Nationalfeiertages, wird diese kulinarische Kostbarkeit in barocker Schönheit als *chalet suisse* gereicht.

Die fast klösterlich anmutende Abgeschlossenheit, die der Winter den Alpendörfern auferlegt, hat von jeher die kulinarische Fantasie der Schweizer Hausfrau beflügelt, wobei sie jedoch immer auf das Angebot der im engsten Umkreis erzeugten Produkte zurückgreifen muss. Dies ist ja auch der Grund für die so feinen Unterschiede in der Kochkunst der einzelnen Regionen; da finden sich ins Französische hineinweisende Tendenzen im Jura, mehr gotisch-verdichtete in Bern oder Zürich, von hervorragenden

Grindelwald (oben, links und rechts) ist der Ausgangspunkt für die Besteigung des Eiger. Unten, ein Ausflugsdampfer auf dem Thuner See. Rechts, abrupte Steilwände im Berner Oberland.

einen begleitete Speisen im Wallis oder
st italienischen Stils schon im Tessin.

Der Schweizer – wir haben bereits darauf
ngewiesen – ist ein von Gemeinschaftssinn
d Solidarität gekennzeichneter Mensch,
ts dazu bereit, sich in einem Klub, und sei
nur in einem Gesangverein, mit anderen
sammenzufinden. Aber diese Hingabe an
e Gemeinschaft ist sogar noch in bestimm-
n Essensgewohnheiten zu spüren, wenn
h etwa ein halbes Dutzend Gäste um ein
rrlich duftendes Käse-Fondue versam-
ln.

Jedes Dorf hat natürlich das beste
ndue-Rezept, und an Gründen, sich ge-
seitig Konkurrenz zu machen, mangelt
nicht, werden doch in der Schweinz hun-
rterlei Sorten Käse erstklassiger Qualität
zeugt. Für ein Fondue eignet sich am be-
n eine Mischung aus Appenzeller, Gruyè-
Emmentaler und Sbrinz. Dieser Mis-
ung fügt man ein wenig Savoyer Weisswein
zu und ein paar Tropfen Zuger Kirsch,
d schon haben wir ein unübertreffliches
weizer Käse-Fondue. Im *caquelon*, ei-
m irdenen Topf, wird der geschmolzene
se warm gehalten, und jeder taucht nach
d nach seine Weissbrotstückchen darin
und geniesst dieses unvergleichliche Geht. Wer allerdings sein Brot im Topf ver-
rt, dem geht es an den Kragen: um eine
sche Wein als Strafe oder aber das näch-
Fondue kommt er nicht herum.

Das langsame Köcheln des Fondues ist ei-
etwas starrköpfige, auf jeden Fall aber
isch schweizerische Angelegenheit. Über
iner Flamme schmilzt der Käse zusam-
n und bildet nach und nach unten im
pf einen zähen, aussergewöhnlich wohl-
meckenden Bodensatz. «Das Beste», so
losophieren die Schweizer, «findet sich
ner ganz unten.» Ein mir bekannter
dalusier, typischer Vertreter der brillan-
, leidenschaftlichen Zivilisation des Sü-
s, hielt diesem Argument leicht verbit-
und mit offensichtlichem Unverständnis
gegen: «Und warum serviert man so etwas
n nicht einfach umgekehrt?»

*e weiden (oben, links) auf einer Wiese bei
rlaken (unten, links). Auf dieser Seite: Ein
k auf den Lungernsee (oben), ein Dorf im
ner Oberland (Mitte) und die Burg von
rhofen am Thuner See (unten). Auf der fol-
den Doppelseite, das Dorf Spiez am Thuner*

Auch bei vielen anderen typisch Schweizer Gerichten gehört der Käse zu den Hauptzutaten. Zu nennen wären hier vor allen Dingen die *raclette* (halbgeschmolzene Käsestreifen, die über pikant gewürzten Kartoffeln serviert werden), die *Käseschnitte* (ein mit zerlassenem Käse, Ei und Schinken belegter Toast), die *Käsewähre* (eine heiss zu verzehrende Käsetorte), die *tartines au fromage* (ein Mehlteig mit Schmelzkäse)...

Man muss den Namen der verschiedenen Gerichte in der jeweiligen Landessprache kennen, sonst kommt es zu bedauernswerten Verwechslungen. In den deutschsprachigen Kantonen wird nicht eigentlich deutsch, sondern Schwyzertütsch gesprochen, ein Dialekt, der akademischen Ohren wohl einigermassen fremd klingen muss. Und selbst wenn die Bewohner von Neuchâtel von sich sagen, dass sie ein besseres Französisch sprechen als Alfred de Musset, so sollte man doch eine gewisse Vorsicht walten lassen. Victor Hugo kam eines Tages in ein Gasthaus in Schaffhausen und freute sich auf ein wohlschmeckendes Essen. Die Speisekarte war voll von einer Reihe für ihn unverständlicher Gerichte, am Ende fand er jedoch einen Vorschlag, der ihm recht verlockend klang: *calaïsches à la choute*, und dazu nur zu zehn Franken! Was jedoch dahinter steckte, das war die Möglichkeit eines Ausflugs zum Rheinfall, und zwar in einer Kalesche *(calèche aux chutes)*.

Die Zeiten, wo der Fremdenverkehr in den Alpen jedoch noch mehr Abenteuer als Vergnügen war, wo Alexandre Dumas im Jura tapfer einen Bärenbraten verspeiste und nach getanem Werk vom Koch hören musste, das in den Eingeweiden des Tiers noch die Leichen zweier Jäger zu finden waren, die Zeiten, wo Fenimore Cooper in einem Gasthaus in Martigny Teller spülen musste, weil er seine Brieftasche in Vevey vergessen hatte, diese Zeiten sind endgültig vorüber...

In einem Land, in dem die Gletscher fast vor der Haustür liegen, da haben die warmen Vorspeisen naturgemäss eine grosse Bedeutung. In den Wintermonaten, vor allem aber in der Fastnachtszeit, isst man in Basel gern die *Basler Mehlsuppe*. In Genf wird eine Nudelsuppe vorgezogen, im Jura

Verschiedene Aufnahmen des Matterhorns, der beeindruckenden Pyramide aus Eis und Fels an der schweizerisch-italienischen Grenze.

die *soupe aux morilles* (eine Pilzsuppe), die es ohne weiteres mit der vielleicht etwas deftigeren *croûte aux morilles* (einer Pilzpastete) vom Genfer See aufnehmen kann. Auch an die *Engadiner Gerstensuppe* ist zu denken, die den Bergbauern in Graubünden so schmeckt.

Die deutsche Küche, handfest und auf gotische Wurzeln zurückgehend, steuert der Schweizer Gastronomie eine Reihe von Gerichten bei, die zu einem mittelalterlichen Festmahl gehören könnten: *Rehrücken*, mit Preiselbeeren serviert, die *Berner Platte* (Fleisch, Wurst, Sauerkraut und Kartoffeln), *Leberspiesschen*, usw. Als Papst Pius XII. noch Kardinal war, kehrte er auf dem Weg nach dem Kloster Einsiedeln stets in der berühmten Kronenhalle von Zürich ein, um sich dort an einem so typischen Ochsenfleisch gütlich zu tun. Im Tessin herrschen dann vor allen Dingen die Teigwaren und der Reis vor, zusammen mit einer Reihe von schon fast italienisch anmutender Wurstsorten. Die Küche nimmt leicht mittelländische Züge an, und es riecht nach Olivenöl und einer Vielzahl duftender Kräuter. Das Stammgericht ist die *polenta*, aus Maismehl oder gekochten Kastanien zubereitet. Wenn aber die ersten Wachteln über den Seen des Tessins auftauchen, dann wird sie auch mit Fleisch angeboten.

Nachdem überall in der Schweiz schnelle und klare Bäche fliessen, gibt es natürlich auch ein reiches Angebot an frischen und wohlschmeckenden Flussfischen. Nicht zu übertreffen sind die Forellen im Tessin oder die Seefelchen. Zu der Familie der Forellen gehört auch der *Rötel*, der rings um den Zuger See in einer Weissweinsauce serviert wird.

Wurstwaren gibt es in reicher Auswahl: da sind die *Austeller* von Basel, die *Knackerli* von Appenzell, die *Schubligs* von Sankt Galen... Zu den empfehlenswertesten Gerichten gehören hier wohl die Bratwurst mit Zwiebelsauce oder der *Cervelat-Salat*. Und vergessen wir nicht die verschiedenartige Zubereitung des Schweinefleischs, als *zampone* (eine Wurst aus dem Schweinehaxen)

Links, Les Haudères. Rechts, von oben nach unten: Das Gebäude des Völkerbundes in Genf, der Sitz des Roten Kreuzes, ebenfalls in Genf, und das Corbusier-Zentrum in Zürich, das letzte Werk dieses genialen Schweizer Architekten.

im Tessin zum Beispiel, oder als *Bündner-fleisch* in Graubünden. Begleitet werden all diese Gerichte meist von *Röstli* oder *Spätzli*, und natürlich von der Vielzahl von Gemüsen, die das Land hervorbringt.

Was die Weine angeht, sollten an erster Stelle der wie ein Rubin glänzende *Dôle* und der *Humagne* genannt werden. Auch im Rheintal werden ausgezeichnete Rotweine angebaut. Bei den weissen Sorten ist es dann der *Aigle* aus dem Kanton Vaud, in etwa einem trockenen Burgunder vergleichbar, oder aber der hervorragende *Fendant* oder der *Johannisberg* aus dem Wallis. Gerade hier, im Wallis, tragen die Bauern oft ihren Wein bis hinauf zu den Gletschern und lassen ihn dann dort reifen. Das Ergebnis: der gesuchte *cru des glaciers*.

Aus Obst und aromatischen Pflanzen werden ausgezeichnete Schnäpse gebrannt. Im Jura kennt man den Enzian, den Kirsch in Zug, Birnenschnaps in Martigny, und in Aarau und Thurgau gibt es einen unvergleichlichen Apfelwein.

Für die Abstinenzler sind eine Reihe der besten Mineralwässer da: das *Passugger*, von leicht bitterem Geschmack, das *Henniez*, angenehm und üppig perlend, und das *Eptinger*, ein kristallklarer, die Verdauung fördernder Quell.

Die Schweizer Küche hat heute wirklich einen weltweiten Ruf. Ein *entrecôte* des Café de Paris von Genf ist eine Delikatesse, die keine Grenzen kennt. Und berühmte Cafés und Restaurants findet man in allen internationalen Reiseführern verzeichnet. Ganz besonders sollte hierbei jedoch Zürich hervorgehoben werden, wo die Geschichte immer mit einem gut gedeckten Tisch Hand in Hand einhergegangen ist. Im Café Voltaire trafen sich Tristan Tzara und die Jünger des Dada. Im Odeon philosophierten zwei russische Mystiker namens Lenin und Trotzky. Im Restaurant zum Pfauen verkehrten zwei sympathische, sensible Schriftsteller: Stefan Zweig und Romain Rolland. Und im be-

Oben, links: Gstaad, eines der exklusivsten Wintersportzentren. Unten, links: der Gletscher auf dem Rosenglaui. Rechts, saftig-grüne Wiesen bei Burgenstock (oben) und das Dorf Saillon mit der alten Festung (unten). Auf der folgenden Doppelseite, Mase im schönen Val d'Hérens. Auf den übernächsten Seiten, Winterstimmung bei Arosa.

rühmten Restaurant Kronenhalle, das sich neben einer aussergewöhnlichen Speisekarte auch durch ein sehenswertes Angebot an moderner Malerei auszeichnet, genossen ihren *fendant* so berühmte Persönlichkeiten wie James Joyce, Richard Strauss, Franz Léhar und Thomas Mann.

Weisser Urlaub, grüner Urlaub

Der Schweizer lebt gern in der Geschichte. Die Schweizer sind ein Volk, das praktische und dauerhafte Lehren aus der Vergangenheit zu ziehen weiss. Im Zuge ihrer militärischen Erfolge des 15. und 16. Jahrhunderts und ermuntert von der optimistischen Philosophie eines Mathieu Schinner, machten sie sich eines schönen Tages auf und suchten, sich ein Imperium zu erobern. Mit ihren Spiessen und Lanzen bewaffnet drangen sie ins Mailändische vor, sahen sich aber unversehens den Feuerwaffen der Soldaten von Franz I. ausgeliefert. Der Maler Ferdinand Hodler hat den erbärmlichen Rückzug der Schweizer Truppen nach der Niederlage bei Marignan treffend wiedergegeben. Zerfetzte Fahnen wehen über zerlumpt und zerknirscht einhermarschierenden Riesengestalten, die sich gleich Don Quijote und Sancho Panza am Horizont der Geschichte verlieren. Marignan jedoch fällt keineswegs dem Vergessen anheim. Seit damals haben die Schweizer nie mehr ihre Grenzen verlassen; diese einzige Lektion reichte ihnen für ihre gesamte politische Philosophie: Neutralität, Diplomatie, Pazifismus...

In der Geschichte zu wohnen, sie in sich zu verspüren, das heisst für den Schweizer auch Baudenkmäler, die im Verlauf der Jahrhunderte auf Schweizer Boden entstanden, entsprechend zu pflegen und zu erhalten. In der Burg von Chillon finden die Musikwochen von Montreux statt. Die Regierung tritt in der Festung von Neuchâtel zusammen. Im Turm der Burg von Colombier schliesst man die Schwerenöter ein.

Diese Geschichtstreue äussert sich oftmals in recht eigenartigen Traditionen. In dem kleinen Dorf Rümisberg trägt der älteste Sohn der Familie Roth zu bestimmten Gelegenheiten ein in Rot und Weiss gehal-

Chur (links, oben und unten), am Fuss des Julierpasses und Tor zum Engadiner Hochland. Auf dieser Seite drei typische Landschaften des Engadins, zwischen Davos und Sankt Moritz (unten).

tenes Gewand, das mit den Farben des Dorf-
wappens übereinstimmt. Diese Tradition
kann auf sechs Jahrhunderte zurückblicken.
Damals, im November 1382 hörte Hans
Roth in einem Gasthaus das Gespräch meh-
rerer Verschwörer, die die Festung von So-
leure nehmen wollten. Roth schwang sich auf
sein Pferd und erreichte noch rechtzeitig die
Stadt, wo er die Wachen entsprechend ver-
ständigen konnte; vorher jedoch hatte er
noch Zeit gefunden, die Hufeisen seines
Pferdes umzudrehen, um somit seine Ver-
folger zu täuschen.

Pierre de Coubertin, der Gründer der
Olympischen Spiele der Neuzeit, der in der
Schweiz eine zweite Heimat gefunden hatte,
prägte hier den Satz: «Dabeisein ist wichtig,
nicht siegen.» In der Geschichte steht man
wahrlich nicht immer als Sieger da, aber
zwangsweise ist man dabei...

Die alten Traditionen spiegeln sich auch
in einer Vielzahl volkstümlicher Feste wider. So wird der 1. August, der National-
feiertag, mit Freudenfeuern auf Wiesen und
Bergen gefeiert, in den Städten mit Feuer-
werken.

An bestimmten Tagen pilgert man zu den historischen Stätten, wo einst blutige Schlachten ausgetragen wurden, um mit fröhlichen Gesängen und farbenfroher Folklore der Helden von einst zu gedenken. Man sagt, dass im Schweizer auch heute noch ein Soldat steckt. In achtundvierzig Stunden stellt die Schweiz eine schlagkräftige Armee auf die Beine. Und diese gut und modern ausgerüstete Wehrmacht zur Verteidigung des Vaterlandes muss nicht einmal auf seine Marine verzichten. An die fünfzig Schiffe liegen unter Schweizer Flagge in den Häfen von Genua und Antwerpen.

Fast alle Feste können auf eine lange und tief verwurzelte Tradition zurückblicken, deren Ursprung bisweilen sogar in den vorgeschichtlichen Mythen rings um die Schweizer

Der grosse Reichtum der schweizerischen Folklore wird am augenscheinlichsten während der Basler Fastnachtstage (oben), bei den Weinfesten in Vevey (links) oder bei den Zusammenkünften der zahlreichen Schweizer Gesangvereine (rechts).

Seen zu suchen ist. Eine dionysische Kraft, ein karnevalesker Urtrieb der Natur belebt diese der Trauer oder der Freude gewidmeten Zusammenkünfte. Im April wird in Zürich der Tod des Winters und das Kommen der längeren Tage gefeiert. Die Glocken läuten um sechs Uhr abends und verkünden den Feierabend. Die Herren der vierundzwanzig Zünfte kommen auf dem Marktplatz von Sechseläuten zusammen und reiten im Kreise um den Scheiterhaufen, auf dem, aus Lumpen und Stroh, der *Böög* verbrannt wird.

Die Geburt des Frühlings feiert man im Tessin mit dem Kamelienfest, das Kommen des Sommers auf den Bergen mit idyllischen Bräuchen. Mit Blumen und grossen Kuhglocken geschmückt, wird das Vieh auf die Almen getrieben, und mit dem Vieh ziehen die in Landestracht gekleideten Senner, die Wettkämpfe zwischen den angriffslustigsten Kühen veranstalten, ja sogar eine «Königin» küren.

Auch die Feldarbeit wird von entsprechenden Festen begleitet. Mitte März nehmen die Bewohner von Annivers und Bagnes die Arbeit in den Weinbergen auf und ziehen hinaus mit Flötenspiel und Trommelklang. In Vevey findet alle fünfundzwanzig Jahre (das letzte Mal 1980) ein berühmtes Weinfest statt, mit dem die Weinlese abgeschlossen wird.

Und dann natürlich die Fastnacht: die Umzüge mit dem *Vogel Gryff* und all den satirischen Masken in Basel; die *Fritschi*-Fastnacht in Luzern, die *Gretschell*-Fastnacht in Zug, und der Karneval im Tessin stets begleitet von einem guten *risotto*, das im Freien eingenommen wird...

Aber auch die religiösen Feste stehen diesen heidnischen Bräuchen in nichts nach, denn: kann man von Gott sprechen, ohne an die Lilien auf dem Felde zu denken? Weihnachten beginnt in der Schweiz am 6. Dezember, am Nikolaustag. Spätestens an diesem Tag hat die Arbeit auf dem Felde ein Ende gefunden, ist das Korn in der Scheune, und das eingelagerte Obst, die Kartoffeln riechen verheissungsvoll nach Sätte und Frohsinn. Da erscheint dann in den Dörfern, bärtig und rothaarig, der Heilige Nikolaus, der in den Strassen die Kinder anhört und freigiebig Bonbons und Süssigkeiten verteilt.

Und kurz vor Weihnachten, wenn die Sonne um die Wintersonnwende sich von der Erde verabschiedet, dann ist es an der

Zeit, die bösen Geister zu vertreiben. In
Arth und in Küssnacht ziehen seltsam ver-
mummte Gestalten durch die Strassen, den
Kopf unter grossen Mützen versteckt und
Glocken in den Händen, mit denen sie einen
Heidenlärm machen, um die teuflischen
Mächte zu erschrecken. In Wollishofen
kommt die Jugend zusammen und tut das
gleiche in leuchtenden Kleidern und mit
einer Unzahl von Glöckchen und Schellen.

Und sollte sich bis zur Jahreswende trotz
allem noch ein böser Geist gehalten haben,
dann ist es Angelegenheit der *Silvesterkläu-
e*, diese bösen Buben durch Masken und
Glockenlärm endgültig der Stadt zu verwei-
sen.

Wie im alten Athen oder in Epidauros hat
das Theater in der Schweiz eine magische
Bedeutung und beschwört all die dunklen
Mächte des Unterbewusstseins herauf. In
vielen Städten organisiert man Festspiele für
volkstümliches Theater. Selzach ist wegen
einer Passionsspiele bekannt. Vor den barocken Mauern der Abtei von Einsiedeln
führt man alljährlich Calderóns Grosses
Welttheater auf. Und kann das historische
Gedächtnis eines Schweizers etwa besser beflügelt werden als mit den Vorstellungen des
Wilhelm Tell, die jeden Sommer in Interla-
ken gegeben werden?

Die Fremdenverkehrswerbung hat der
Schweiz ein grün-weisses Image gegeben, Ferienparadies im Sommer, Ferienparadies im
Winter. Doch ebenso schön, aber viel weniger bekannt, gibt es auch eine andere
Schweiz, unter der Patina der Geschichte:
ein Land, das in allen Regenbogenfarben
seiner Glasmalereien aufleuchtet, polichro-
mes Pergament einer geschichtsträchtigen
Miniaturhandschrift.

Da sind die grossartigen Rundblicke, die
sich vom Passwang oder vom Dent de Vau-
lon eröffnen, vom Julierpass oder vom Ma-
loja, vom Furka oder vom Pilatusberg. Da

*Die Schweiz hat jeher eine ganz besondere
Anziehungskraft auf Künstler und Intelektuelle
ausgeübt. Das Haus von Lord Byron in Colo-
gny (oben, links), die Villa, die Wagner in
Triebschen am Vierwaldstätter See bewohnte
und wo auch Nietzsche zu Gast war (oben, rechts); und die Burg von Muzot (unten, rechts)
in den Weinbergen von Sierre, wo Rainer Maria
Rilke wohnte. Links, eine alte Uhrmacherwerk-
statt in Annemasse.*

ist der riesige Naturpark Graubündens, mit all seinen Seen und Tälern, in dem die gesamte Flora der Alpenwelt vertreten ist. Da sind die Seeufer von Lausanne, Genf, Vevey, Zug, Luzern, Locarno..., der Rheinfall in Schaffhausen, die Weinberge von Sierre und die Kirchenschätze des Wallis..., die feuchten, mittelalterlichen Gassen von Bern..., die reich bemalten Fassaden von Stein am Rhein, wo die Gasthäuser noch so klangvolle Namen wie «zum Hirschen», «zur Krone», «zum Schwarzen Raben», «zur Petrustraube», «zum Weissen Adler» tragen...

Ist es nicht allzu verständlich, dass die ganze Welt ihre Augen auf die Schweiz gelenkt hat, und dass der Ruhm dieses schönen Landes gerade im 18. Jahrhundert mit dem Beginn der Aufklärung einsetzte? Klopstock und Goethe sind unter den ersten, berühmten Reisenden, die das Land besuchen. Und in den folgenden Jahrhunderten tut es ihnen der ganze Gotha der Intelligenz gleich. Balzac trifft sich mit der Gräfin Hanska in Neuchâtel, nach einer langen Liebe per Korrespondenz. Lamartine besingt den Thunsee, wie ein von den süssen Weinen der Romantik berauschter Seemann. Stendhal, stets Beobachter, stets Kritiker, langweilt sich, als er die Truppen Napoleons über die Alpen begleitet: Im Hospiz auf dem Sankt Bernhard schreibt er: «Man gab uns ein halbes Glas Wein, der fast zu Eis geworden war.» Victor Hugo erklärt leidenschaftlicher: «Nicht jeder Intelligenz ist es gegeben, solcherlei Wunder zu verstehen.» Auch Tolstoi kommt an die Ufer des Vierwaldstätter Sees. Das Dahingleiten der Schwäne mag ihn an die Melancholie des ersten Tanzes einer jungen Frau namens Anna Karenina erinnern, die sich später vor den Zug werfen sollte. Mark Twain bezeichnet den Ausblick über die Landschaft am Fusse des Weggis als einen der schönsten, die er je auf der ganzen Welt gesehen habe.

Im sonnigen Tessin liegt der Luganer See (oben, links). Unten, links, die Kirche der Madonna del Sasso. Rechts, die Kirche von Morcote, in der Nähe von Lugano. Auf dieser Seite (Mitte und unten), zwei in der Nähe der italienischen Grenze gelegene Dörfer. Auf der folgenden Doppelseite: der Silser See an dessen Ufern Nietzsche seinen Zarathustra schrieb.

Und auf der anderen Seite des Sees schreibt Wagner aus seinem romantischen Zufluchtsort Triebschen an Liszt: «Der Rigi und der Pilatus sind bereits zu einer absoluten Lebensnotwendigkeit für mich geworden.» Nietzsche, sein Freund aus heidnischen Tagen, zieht jetzt die Einsamkeit am Silssee vor. Stefan Zweig und Thomas Mann entscheiden sich für den wogenden, blauen Arm des Züricher Sees. Der Autor des «Zauberbergs» ruht auf dem Friedhof von Kilchberg. Zweig starb im Exil und liegt unter einem dunklen Stein im Friedhof von Petrópolis in Brasilien begraben, wo weisse Hortensien blühen. Am Ufer des Sees erhebt sich für die Reisenden aber immer noch das Hotel Belvoir, in dem der Dichter einst lebte.

Nun mag es aber sein, dass der Reisende die Schweiz eher sportlichen, und weniger melancholischen Geistes besucht. Vielleicht kommt er lediglich, um hier Schi zu fahren. In diesem Falle – wie hartnäckig die Literatur doch ist! – sollte ein Name nicht vergessen sein: Arthur Conan Doyle. Der Mann, der uns so unzählig viele Kriminalromane hinterlassen hat und der der unvergänglichen Figur eines Sherlock Holmes Leben verlieh, der war nämlich auch ein begeisterter Sportler. 1848 kam er aus Norwegen nach Davos und brachte zwei seltsame Bretter mit, die er *skiater* nannte. Aufgrund einer Wette fuhr er damit den ganzen Hang von Davos bis Arosa hinunter. Das brachte ihm eine fabelhafte Reportage im «Strand Magazine» ein. Aber gleichzeitig hatte er so in der Schweiz auch die Mode des Schifahrens eingeführt.

Oben, links, Alphornbläser im Oberland. Neben dieser jahrhundertealten musikalischen Tradition, der stete Wechsel der Jahreszeiten: die frischen Farben des Frühlings (unten, links) und das gleissende Gold des Herbstes (rechts).